Our Beloved Summer

PHOTO ESSAY

그 해 우리는 PHOTO ESSAY

1판 1쇄 발행 2022. 5. 10.
1판 2쇄 발행 2022. 6. 7.

지은이 스튜디오S
사 진 고남희, 강수빈

발행인 고세규
편집 김민경 디자인 유상현 마케팅 김새로미 홍보 반재서
필름 캡쳐 VSS Co., Ltd.
발행처 김영사
등록 1979년 5월 17일(제406-2003-036호)
주소 경기도 파주시 문발로 197(문발동) 우편번호 10881
전화 마케팅부 031)955-3100, 편집부 031)955-3200 | 팩스 031)955-3111

값은 뒤표지에 있습니다.
ISBN 978-89-349-6188-8 03810

홈페이지 www.gimmyoung.com 블로그 blog.naver.com/gybook
인스타그램 instagram.com/gimmyoung 이메일 bestbook@gimmyoung.com

좋은 독자가 좋은 책을 만듭니다.
김영사는 독자 여러분의 의견에 항상 귀 기울이고 있습니다.

Our Beloved Summer

스물아홉이 된 너와 나의 기록

그 해 우리는

PHOTO ESSAY

스튜디오S 지음 | 고남희, 강수빈 사진

김영사

감독의 말

'아마도 그 여름의 절정이 지나갔다면, 그날 낮에,
우리가 낮잠을 잘 때, 우리도 모르게 지나간 게 틀림없었다.'

작품을 준비하면서 가끔 읽었던 김연수 작가의 산문집《지지 않는다는 말》의 한 문장입니다. 초여름 같았던, 우리의 어떤 날들이 지나갔습니다. 어떤 날들은 슬펐고, 어떤 날들은 행복했으며, 어떤 날들은 담담했고 어떤 날들은 환희로 가득했던, 돌이켜보면 보통의 어떤 날들이었습니다. 작가님이 만들어주신 보통의 세계가 찬란할 수 있었던 건 우리 모두 이 시절을 비슷한 마음으로 지나갔기 때문일 거라 생각합니다. 너무나 평범했던 초여름이었고, 한 시절의 절정이었습니다.

그 시절을 이렇게 남기게 되어 감사드립니다.
초여름의 세계를 함께 만들어주신 이나은 작가님과 한혜원 프로듀서,
스스로 그들이 되어 함께 울고 웃었던 모든 배우들,
가장 뜨거운 날부터 가장 차가운 날까지
한낮부터 새벽까지 함께 지새웠던 모든 스태프들,
그리고 그런 우리를 발견하고 지켜보며 함께 '우리'가 되었던 시청자분들께
다시 한번 감사의 말씀을 드립니다.
모든 분들이 계셨기에 지나가는 시간들에 대한 이 기록이 의미가 있을 테죠.
우리의 여름이 우리가 모르는 새 지나갈지라도, 평범하고 찬란하게
그리고 소중하게 기억되길 바랍니다. 그 해 우리들이 그러하였듯이.

〈그 해 우리는〉 감독 김윤진 드림

Levi's

차례

1792 Days of Summer

제 이름은 국연수예요.

제 이름은 최웅이에요.

야. 뭘 봐.

…

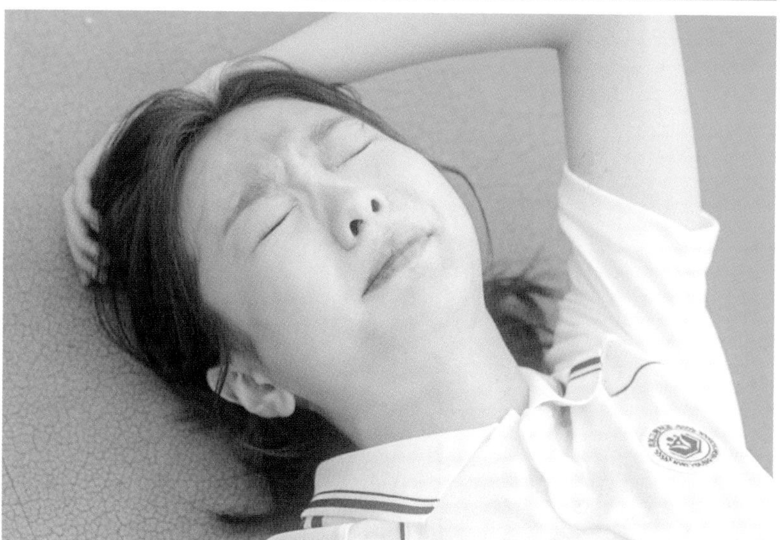

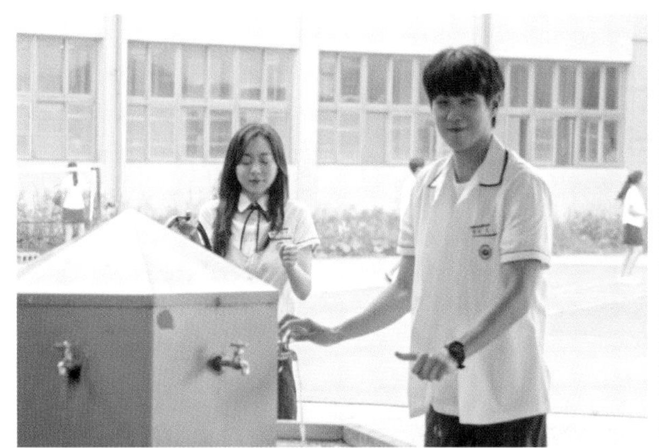

10년 후요? 스물아홉인가…
저는 뭐 당연히 뭐든 잘하고 있을 거예요.
어쨌든, 이 답답한 애랑 볼 일은 없을 거예요.

제가 하고 싶은 말이에요.

그늘에 누워있는 걸 제일 좋아해요.
살랑이는 바람.
나무 사이로 비추는 햇살…

참을 수 없는 존재의 가벼움

아무것도 안 하고 평화롭게 살고 있었으면 좋겠어요.

GO!GO!

…만약에 말이야.

그거 금지어라고 했지?

마지막. 진짜 마지막. 더는 안 할게. 됐지?

도대체 왜 그러는 거야. 진짜.

우리가 진짜 헤어지면 어떡하지?

나는 안 헤어져.

확신해?

응.

내가 너 버리고 가면?

다신 너 안 봐.
그러니까
나 버리지 마.

내가 유치하게 안 굴고 진지했으면,
감당할 순 있었고?

만약에,
진지하게 굴었으면,
어떻게 했을 건데?

UNLOCK YOU

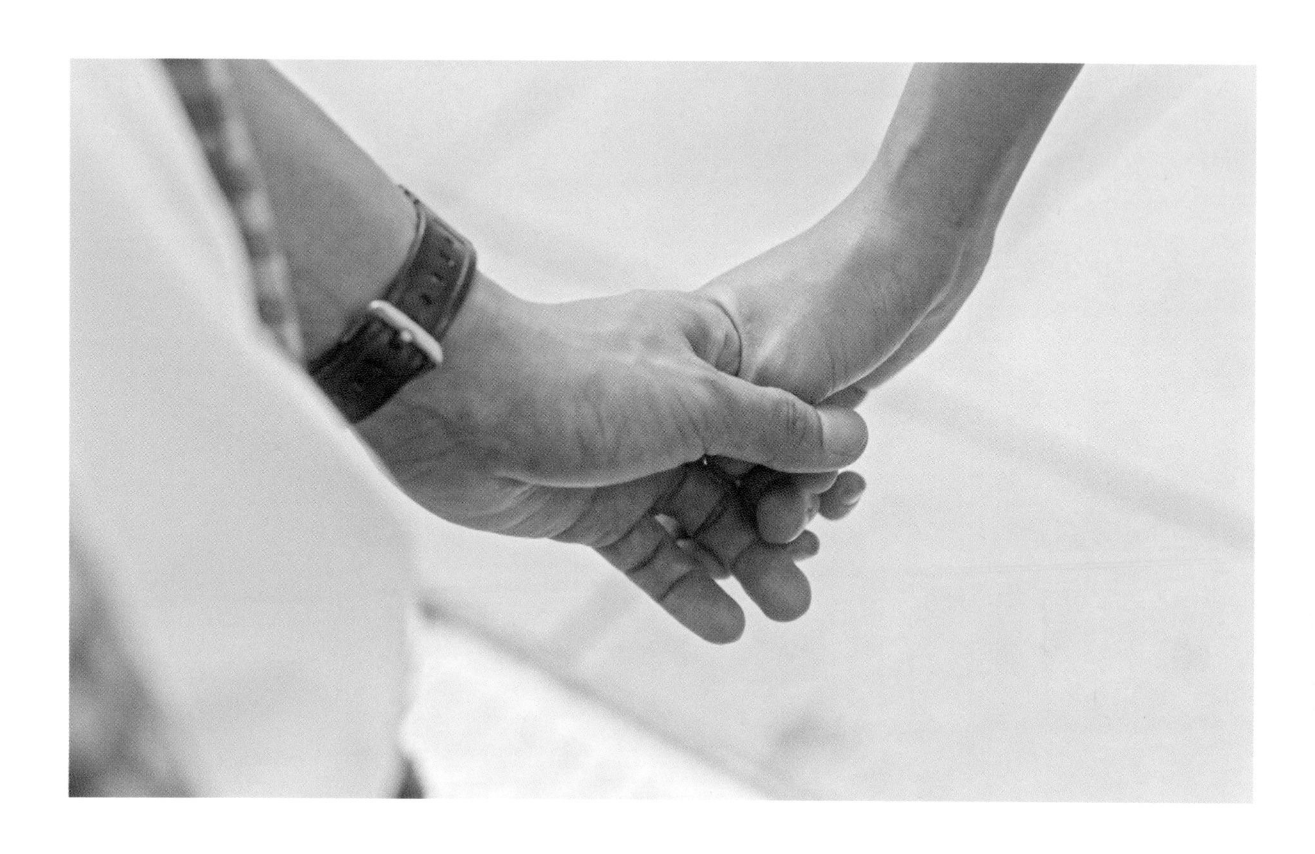

야. 니가 연수에 대해서 뭘 알아?

어?

함부로 지껄이지 마.
아무것도 모르면서.

늦었는데 왜 나오라 해?

삐쳤냐?

내가? 뭐가? 왜? 삐쳐? 아니?

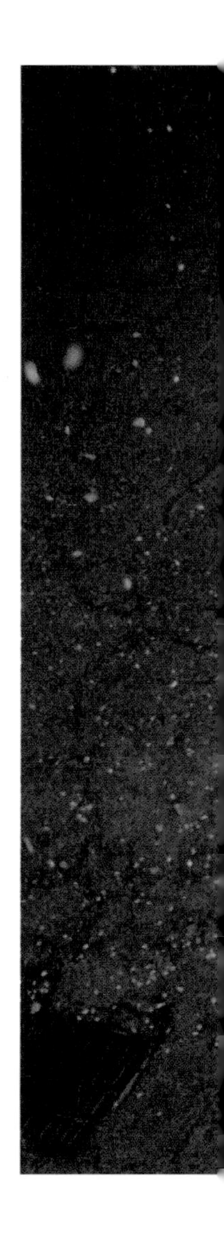

벚꽃 봤다. 우리.

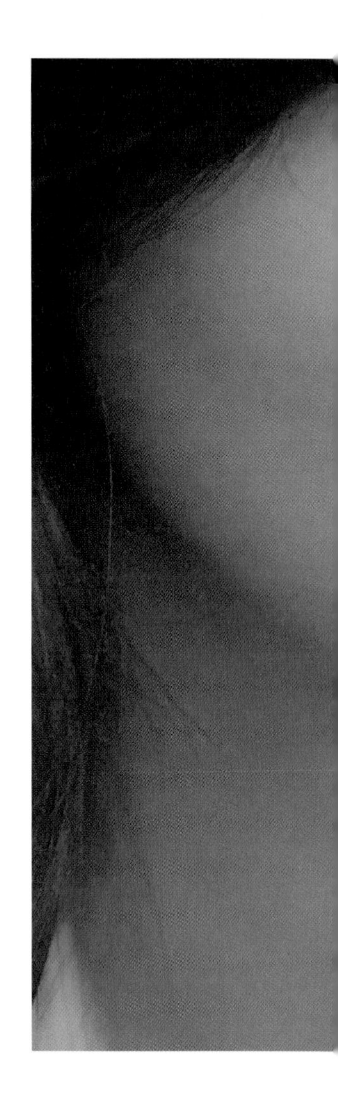

이런 모습들은 나만 보여줘서
사랑할 수밖에 없게 만들어요.

그렇게 사랑할 수밖에 없게 만들어놓고,
가장 행복하다고 생각할 때,
국연수는 저를 가장 높은 곳으로 데려가
거기서 저를 떨어뜨려요.
가장 잔인하게.

우리가 왜 헤어져.
…넌 꼭 힘들 때 나부터 버리더라.
내가 그렇게 제일 버리기 쉬운 거냐.
니가 가진 것 중에.

아니.
내가 버릴 수 있는 건 너밖에 없어.

시간 꽤 지났잖아. 왜. 아직 뭐 남아있냐?

남아있긴 뭐가 남아있어? 아무것도 없거든? 그냥 싫어.
걔랑 다시 봐야 하는 거 싫다고.

그게 남아있는 거야 형.

암튼. 안 해.

진짜 아무렇지도 않아?

뭐가?

너 최웅이랑 헤어진 거…
아무리 그래도 너희 그렇게 오래 만났는데…

무슨. 힘들 일도 많다.

진짜 괜찮아?

응. 괜찮지.

정말 아무렇지도 않아요. 정말로.

뭐랄까 그냥 좀 모든 게 이상한 날이었어요.
괜히 어색하고,
괜히 신경 쓰이고,

알아. 너 나 싫어하는 거 아니까. 그니까…

나 너 안 싫어하는데.

너 지금 얼굴 완전 빨개. 이거 봐. 열나잖아.

아…

아는 무슨. 안 아파? 되게 뜨거운데?

괜찮은데.

괜히 나중에 내 탓하지 말고 입어!
멋있는 척하려다 이게 뭐야?

아 됐다고! 내가 괜찮다는데 왜 그래?

시끄럽고 빨리 입기나 해!

아 진짜! 너 안 싫어한다는 거 취소!

그럼 나 싫어한다는 거야?

…아니.

그러면?

망했어. 좋아하나 봐.

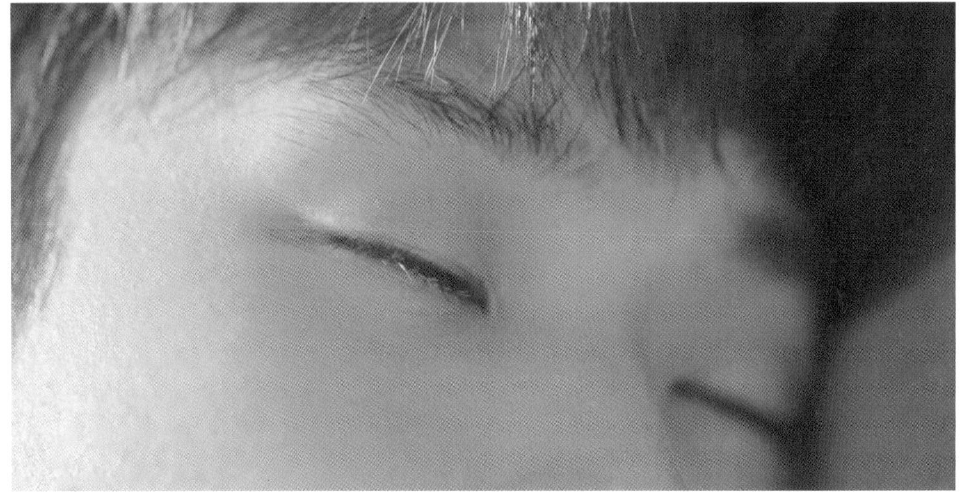

…이건 당연히 꿈이겠지만.

…진짜네.

내 인생도 망쳐놨지. 엉망으로.

아, 이게 아닌데…

뭐? 야. 말을 왜 그렇게 하냐?
내가 뭘 망쳐?
우리가 헤어진 게 다 나 때문이었어?

그 두 분 연애했었죠?

그게 보여?

선배도 국연수 씨랑 친했어요?

뭐 글쎄.
예전에도 지금도 그냥 관찰자 정도?

왕자와 거지 이야기 같았달까.
최웅은 당연하다는 듯 모든 걸 저와 나눴어요.

시간도, 일상도, 가족까지도.
덕분에 내 인생도 남에 인생에 기대어 행복을 흉내 낼 순 있었어요.

그런데 이런 이야기에는 꼭 누군가가 등장하더라구요.

꼭 그런 식이죠.
그런데 뭐, 문제는 없어요.
저는 그냥 한 걸음 빠져있으면 돼요.
아무래도 이번 생은
내가 주인공이 아닌 것 같으니까요.

도대체 미안하다는 말 그게 뭐가 어려운 거야?

다들 얕보고 무시한다고. 지고 싶지 않아.

안 한다는 거지? 갈게 그럼.

…미안. 내가 잘못했어.

멍청아. 나한텐 그래도 돼.
내가 계속 이렇게 찾아올 테니까
넌 그냥 미안하다는 말 한마디면 돼.
어차피 지는 건 항상 나야.

뭐야? 어디 가?
이런 데에 나 불러놓고 어디 가냐고.

뭐죠.
최웅은 왜 날 이런 표정으로 바라보고 있는 걸까요.

너도 알고 있었어?
거봐. 날 망치는 건 늘 너야.

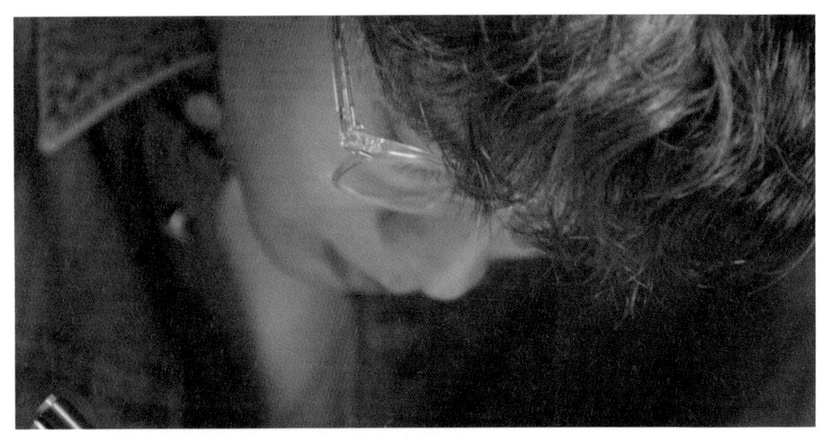

20

아…
벨 눌렀는데 답이 없길래 전화해 보려고…

그럼 이제 이거 먹고 자. 얼른. 난 갈게.

그래. 이 정도면 괜찮았어요.
깔끔하고 프로페셔널했어요.

그런데,

자고 갈래?

Part 2.

Before Sunset

그 해 우리는

잠깐 현실을 눈감게 해준 유일한 사람이었어요.
최웅은.

평범하게 남들만큼만 사는 것.
그게 내 꿈이라 생각해 왔는데,

처음부터 주어진 선택지 없는 시험지였을까.

우리가 왜 헤어져.

너와 나의 현실이 같지 않아서.
아니, 사실 내 현실이 딱해서.
아니, 사실은, 정말 사실은,
더 있다간 내 지독한 열등감을
너한테 들킬 것만 같아서.

…또 국연수야.

…또 꿈이지.

…안 속아.

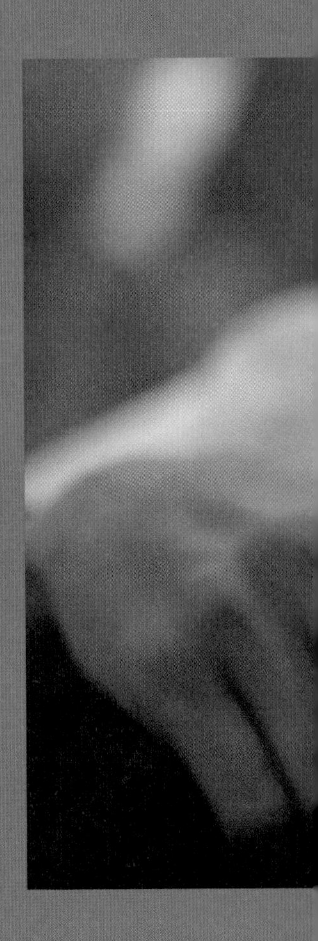

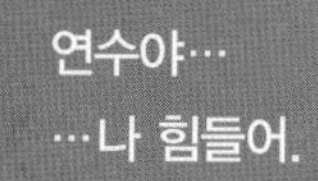

연수야…

…나 힘들어.

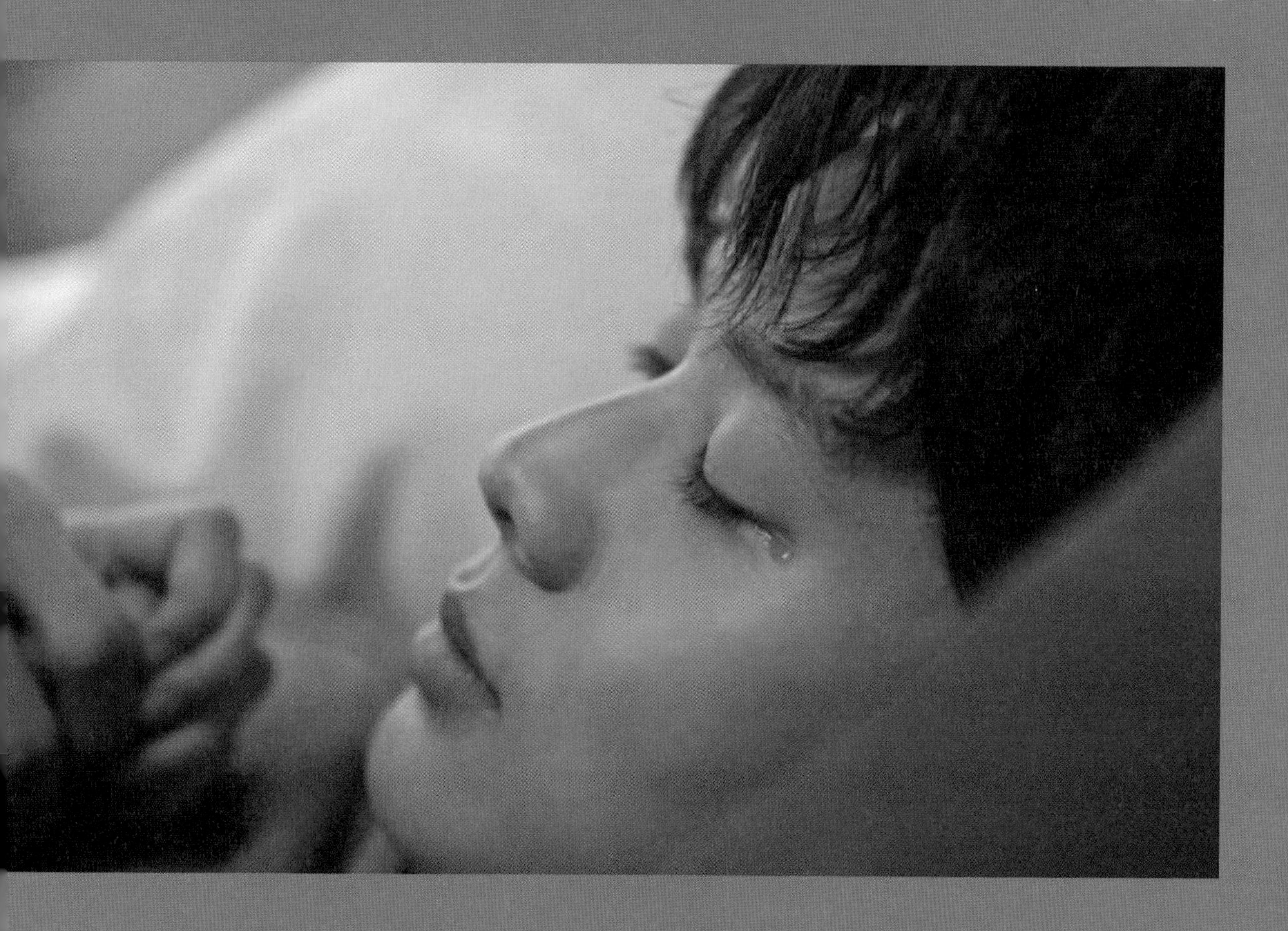

무슨 일로 온 건데 이 시간에.

그러게.
막상 오고 보니까 너무 늦은 시간이라 돌아갈까 고민 중이긴 했어.

급한 거 아니면 내일 말할래?
나 지금 너무 피곤한…

최웅이 기억을 못 해서 다행이에요.
그 모습은 저만 기억하고,
그렇게 묻어두면 돼요.

그럼 내일은 니가 기억 안 나는 척해.
꿈 아니잖아.

왜 꿈인 척해.
왜 거짓말해.
연수야.

연수야…

우리… 이거 맞아?
우리 지금 이러는 게 맞아?

다른 사람도 아니고 우리잖아.
그저 그런 사랑하고
그저 그런 이별한 거 아니잖아 우리.

이렇게… 다시 만났으면. 잘 지냈냐고.
어떻게 지냈냐고.
힘들진 않았냐고…

나는… 나는 좀 많이 힘들었다고.
말할 수 있잖아.
그 정도 이야긴 해도 되잖아 우리…

어떻게 지냈어?
말해 봐. 어떻게 지냈어 너.

우리가 헤어진 건,
다 내 오만이었어.

너 없이 살 수 있을 거라는 내 오만.

637
690
도서관의 책은
혼자만 보는 책이 아닙니다.

너 어떻게 지냈냐고. 그동안.

나야 뭐. 졸업하고 일 열심히 하고…
뭐 그렇게 지냈지.

그게 다야?

응. 특별할 거 없지.

그럼 어젠…

어제 술 너무 많이 먹었어 내가.
창피하니까 그냥 모르는 척해줘. 알잖아.
프로젝트 준비하느라 이것저것
힘든 일도 많았고.

그래 이 기분이었어.
너 만날 때 항상 느꼈던 기분.
사람 하나 바보로 세워두고 혼자 한 걸음씩 멀어지는 거
바라보기만 하는 이 기분 말이야.

니가 괜찮다 그러면 나는 그래 괜찮구나 해야 했고.
니가 아무 일 없어 라면 나는 그래 괜한 걱정이구나 해야 했고.
니가 헤어지자고 하면 그래 이유는 모르겠지만 그러자 해야 했고.
니가 다시 나타나면 나는…

그동안 어떻게 지냈는지 모르겠지만,
니가 무슨 생각으로 다시 돌아왔는지 정말 모르겠지만…
그래. 그렇구나 해야 하는 거지.

이제야 국연수가 돌아온 게 실감이 나네.

…지겹다. 정말.

근데 너 진짜 최웅 어디 갔는지 몰라?

에이. 알죠 당연히. 그 형이 갈 데가 어디 있겠어요?
뻔하죠. 그 형 친구도 없고 취미도 없어요. 게임도 안 하는걸?

국연수도 마찬가지야.
그래서 그 둘이 사귄 건가.

이건 형과 나의 성공 스토리야~
내가 형을 이렇게 키웠다니 뿌듯해서 내가…
내가 진짜…
내가 우리 덜떨어진 형 이만큼 성공하는 것도 보고…

아 또. 왜 울고 그래. 울지 마. 그러다 술 깨.

저기 엔제이 님. 지난번도 그렇고…
뭐 때문에 계속 이렇게 저한테 잘 해주시는지…

좋아서요.

기억하고 싶지 않아도,
선명하게 떠오르는 여행이 있어요.

너 진짜 바보냐? 우리가 왜 헤어져?

그럼 그렇게 말하면 되지
왜 말을 안 해서 사람 불안하게 만들어?

말을 꼭 해야 알아? 딱 보면 몰라?

응. 몰라. 나는 아직도 그래.
너가 무슨 생각인지 정말 모르겠어.

나 봐봐. 안 헤어져 우리.
만약에 우리가 또 싸우면, 또 헤어지면,
너는 이렇게 다시 내 앞으로 오기만 해.

그러면?

그러면…

촬영본 다 보니까 최웅 씨가 언제부터 국연수 씨를
좋아했는지도 맞힐 수 있겠던데 난.

그럼 지금은요?
지금은 어떤 것 같아요.

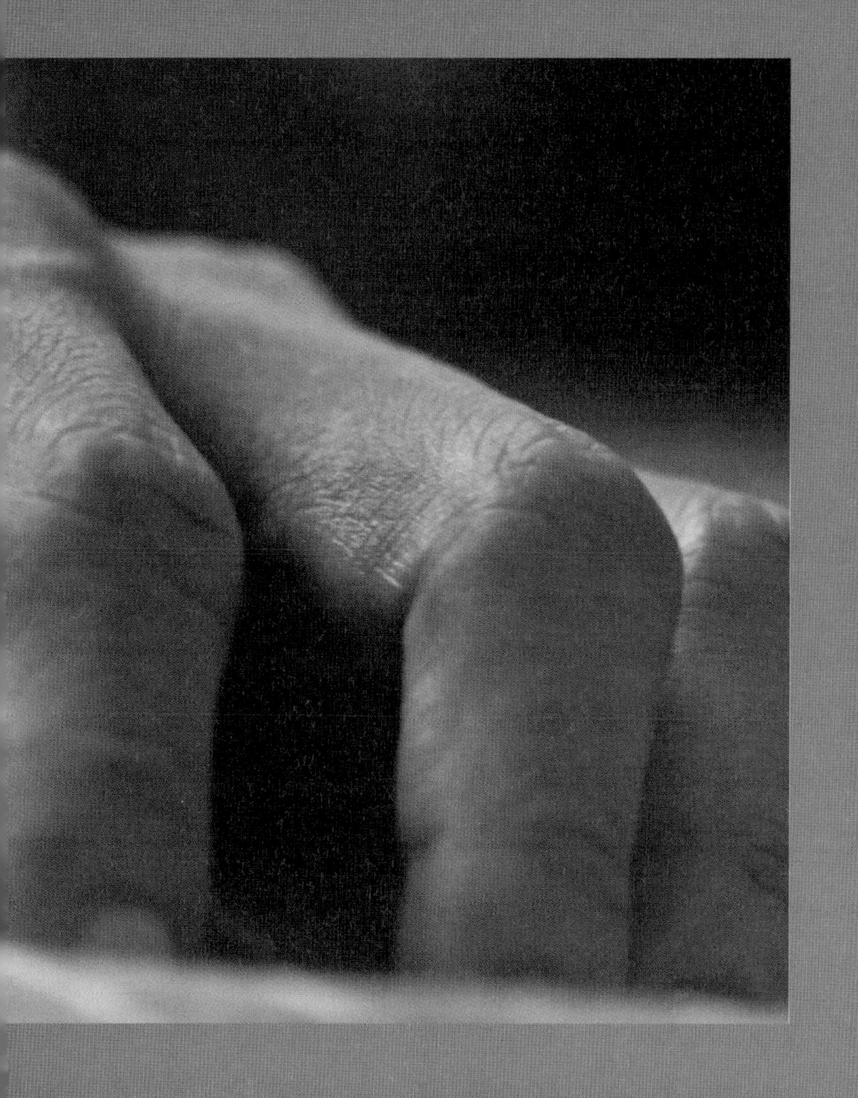

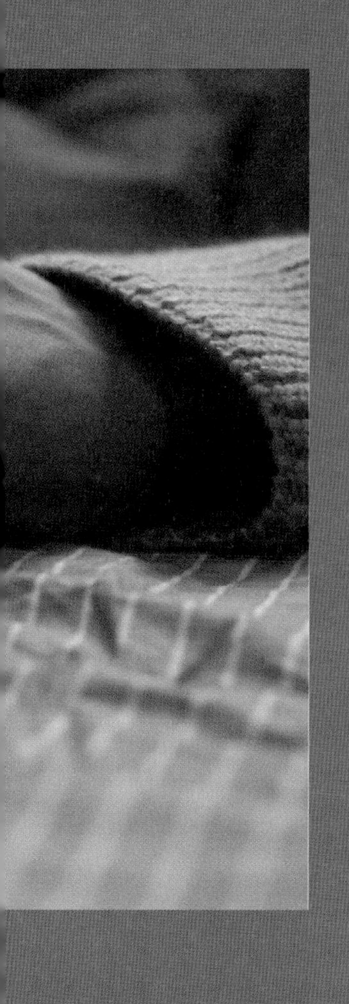

OGP

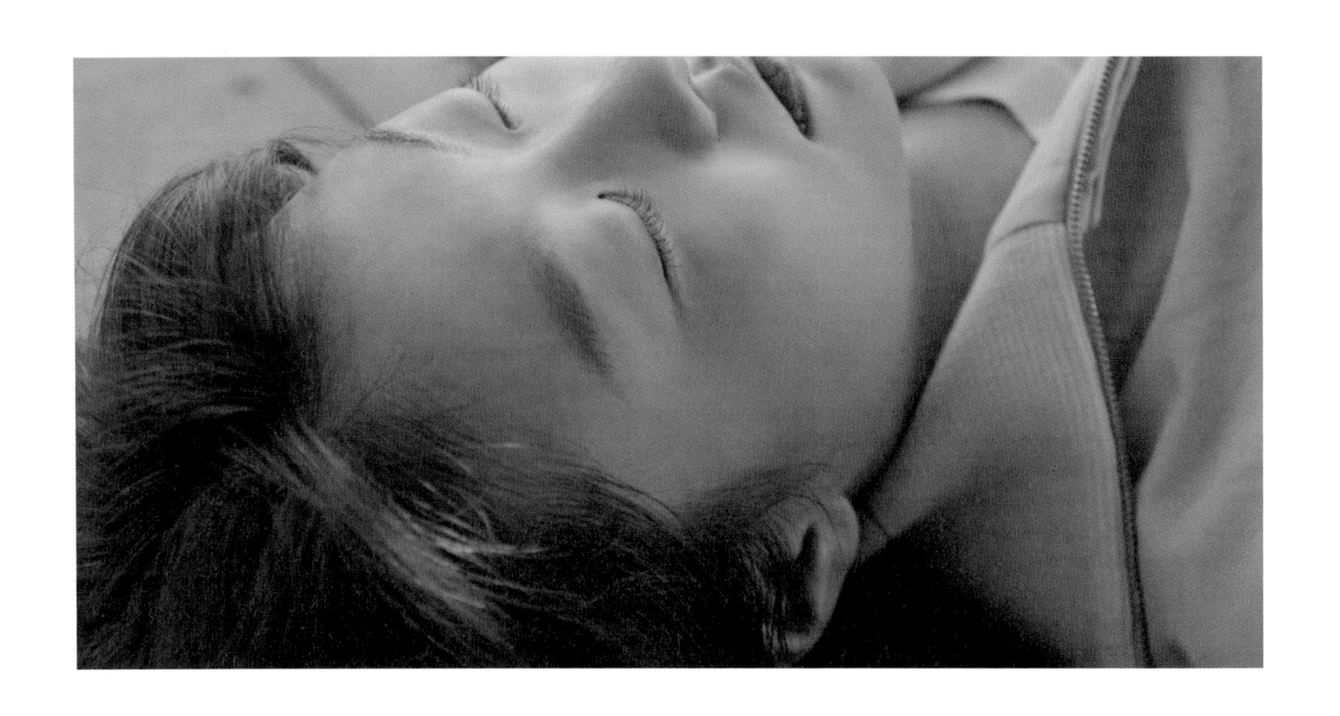

비 온다는 말 없었는데… 진짜 데자뷰 제대로네.
…쓸데없는 생각이나 다 쓸어 내려가라.

거기 서서 뭐 해?

생각.

무슨 생각.

…왜 난 또다시 국연수 앞일까 하는 생각.

니가 그때 그런 말을 하지 말았어야 해.

…또 나야? 내 잘못이야?

응. 또 너야. 지긋지긋하게도 또 너야.

그럼 지나가. 앞에 서있지 말고.

지나갈까 여기 있을까.

…지나갈까 여기 있을까.

이걸 뭐라고 할 수 있을까요.
정말 저주에라도 걸렸다거나,
아니면 이 말도 안 되는 여행에 홀렸다거나,
그것도 아니면,

처음 국연수를 다시 만났던 순간부터,
…이렇게 될 걸 알고 있었다거나.

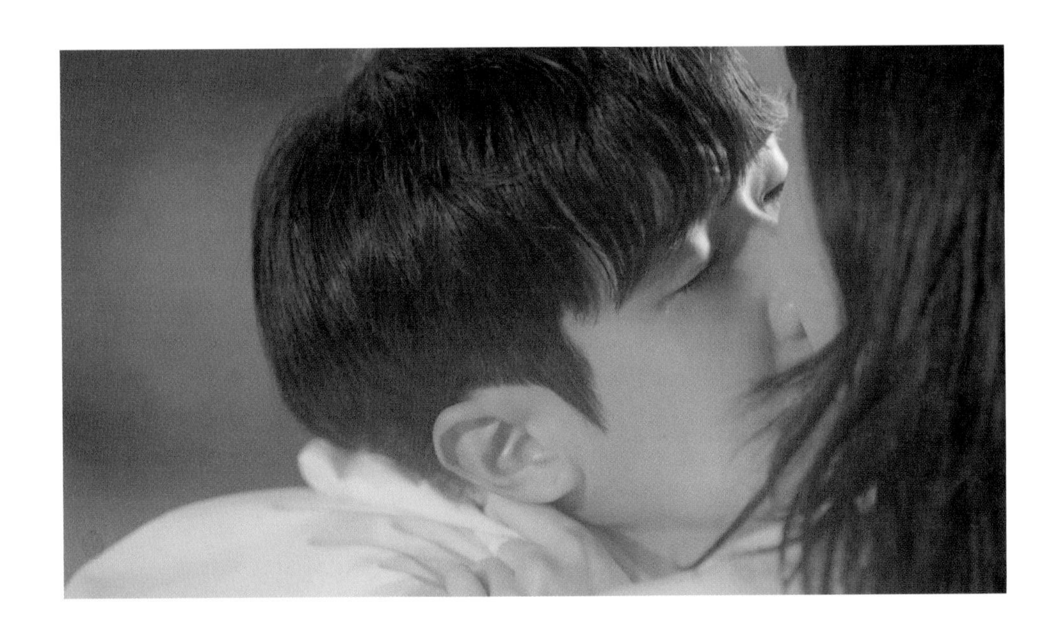

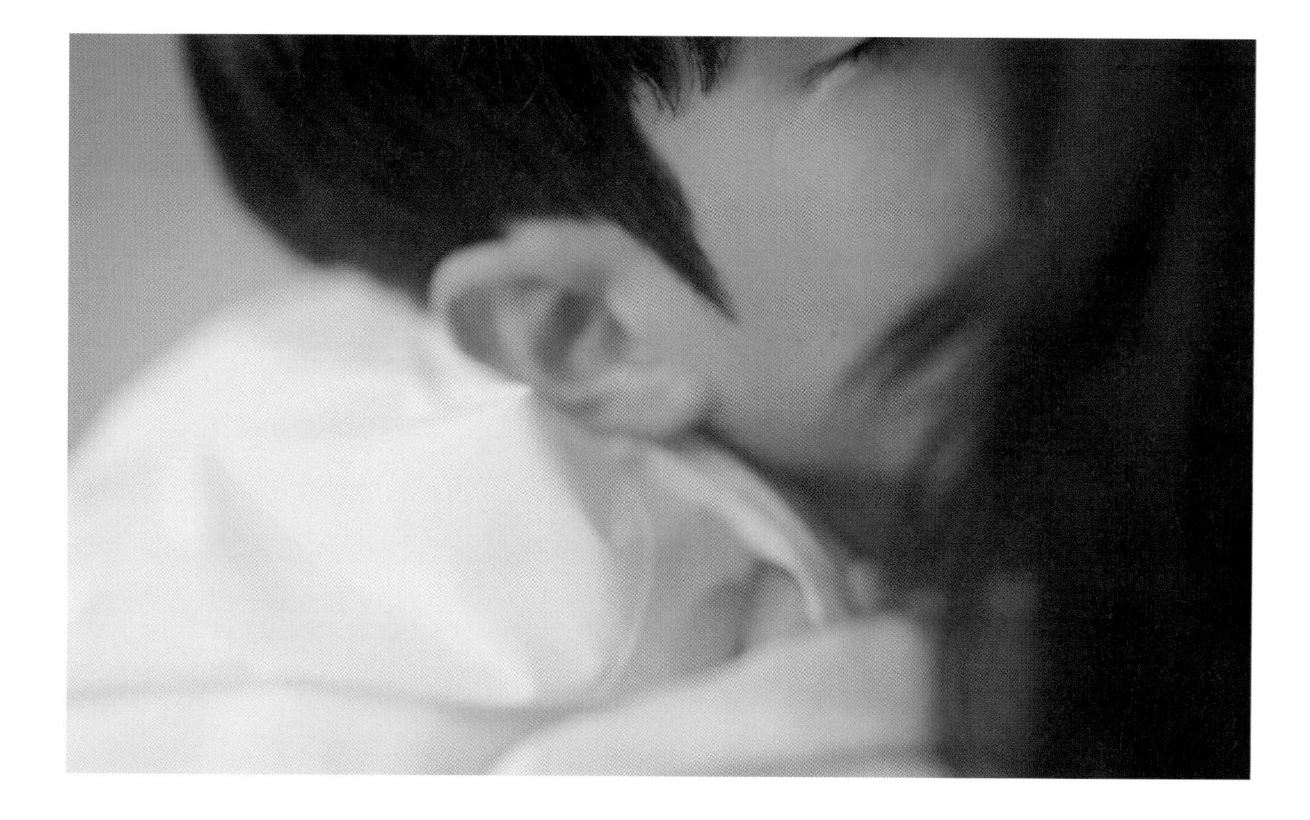

만약에 우리가 또 싸우면,
또 헤어지면,
너는 이렇게 다시 내 앞으로 오기만 해.

그러면?

그러면…

그땐 내가 널 붙잡고 절대 안 놓을게.

선배. 이 작품 하기로 한 게…
국연수 씨 때문이에요?

어디 있어? 연수.

나 이제 어떡해?

너 설마 다시 만나고 싶은 거야?
너 진짜 최웅이 실수라고 할까 봐…
그러고 있는 거야? 너 설마 아직…

연수야.
왜 또 혼자 그렇게 애쓰고 있었어. 응?

넌 뭔데 그렇게 아무렇지 않게 굴어?
너는 내가 여기까지 올 동안 정말 할 말이 없었어?
정말… 없어?

사과할까. 실수였다고.
그걸 원해?
그러긴 싫은데.
나 너 다시 안 만나.

…우리 친구 할까.
친구 하자. 우리.
…친구.
그거 안 해봤잖아 우리.

부탁 하나만요. 제가 좋아하는 사람들이에요.
그래서 그 사람들 앞에선 이런 모습 보여주기 싫어요.

늘 하셨던 대로 그냥…
모르는 척 지나가줘요.

큰일 났어요.
그거 맞나 봐요.

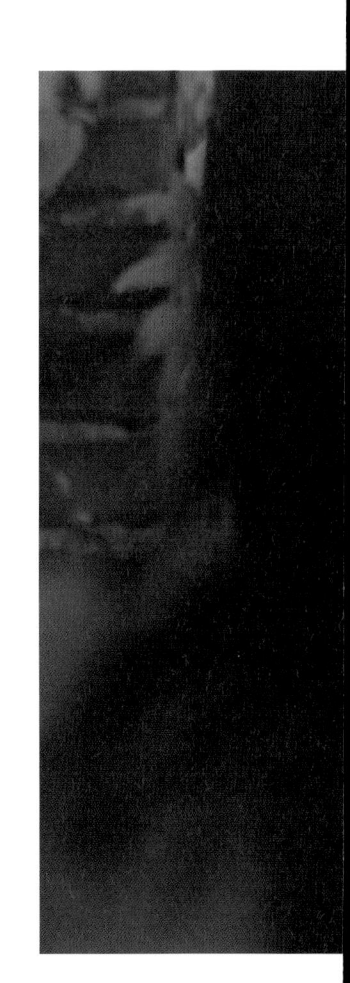

짝사랑.

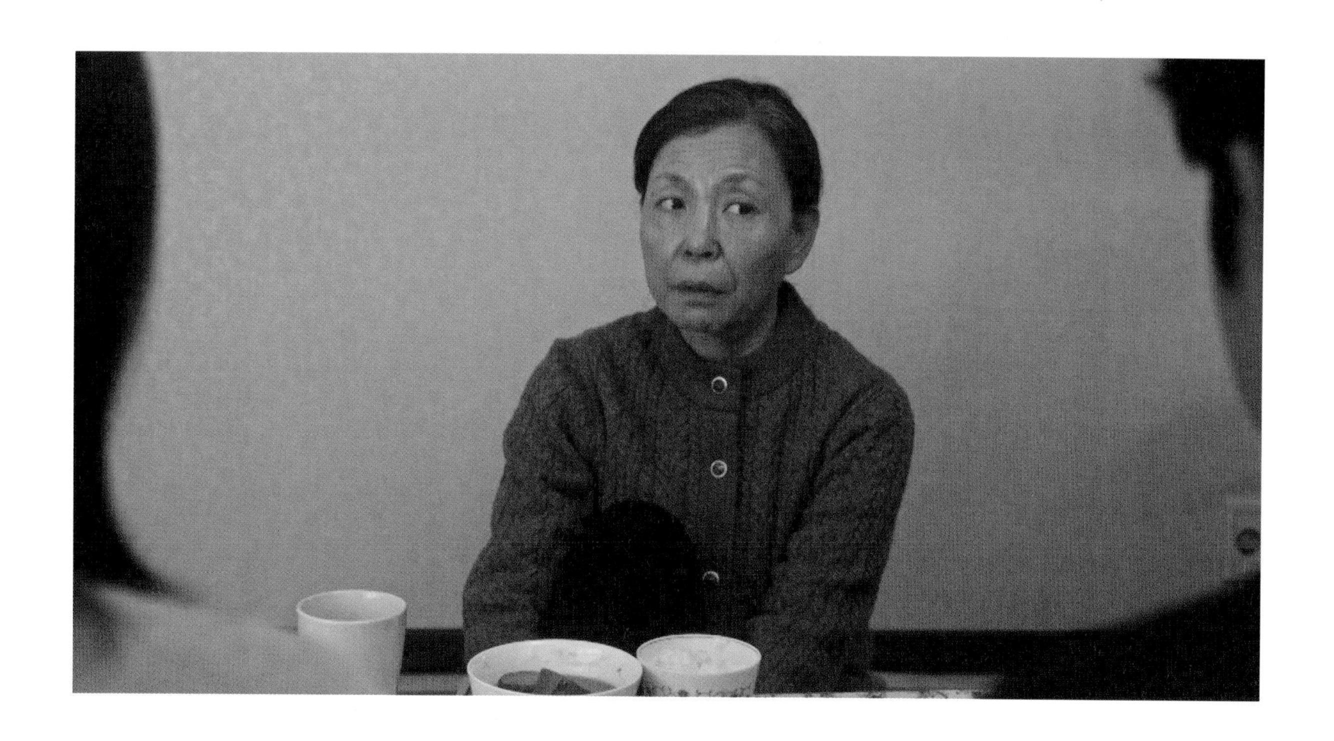

거봐.
친구해도 괜찮잖아.
우리.

근데 할머니. 나 아직 최웅 좋아해.
내가 놓아놓고, 내가 버려놓고 내가…
내가 아직 좋아해.

나 어떡해. 나 최웅이랑 친구하기 싫어. 못 해.
근데 최웅은… 최웅은 그게 되나 봐. 할머니 나 이제 어떡해?

나 오늘 생일이다. 근데 우리 엄마는 아직도
내가 복숭아 못 먹는 거 모르나 봐.
엄마 앞에서 복숭아 먹고 죽다 살아났었는데.
그래도 우리 엄만 모르나 봐.
아니면… 알고 싶지도 않은 건가.

Part 3.

Our Beloved Summer

그 해 우리는

쫑쫑이 밖에 나가는 거 싫어한다 하지 않았어요?

어? 아~ 그게 언젠데~
이젠 안에 있으면 답답해서 난리지.

그래요? 언제부터요? 어떻게 했는데요?

난 한 거 없어. 얘 스스로 한 거지.

배신자.

연수 고것이 너한테 잘못한 게 있으면
다 나 때문이니께 너무 미워하지 말어.
없이 살아서 지밖에 모르고 살게 키웠어 내가.
걔가 말을 밉게 하는 것도 다 나 때문이고
성격 불같은 것도 다 나 때문이여.
그니까는 서운한 거 있으면 나 때문에 그런갑다 하고
너무 미워하지 말어.

연수 안 그래요. 할머니. 연수 그런 애 아니에요.
되게… 좋은 애예요. 저한텐 과분할 정도로 멋진 애예요.

그럼 둘이 뭣 허고 있냐.

그러게요. 저 되게 한심한 거 알았는데,
오늘만큼 최악이었던 적은 없는 것 같아요. 할머니.

나 이거 되게 하고 싶었는데.
너랑 둘이 마주 보고 술 마시는 거.

말이 없네. 최웅.

무슨 말을 할까.

빙빙 둘러대는 말. 상처주는 말.
그리고 또 피하는 말. 그것만 빼고 다.

또 입을 닫는 걸 선택했나 본데, 그럼 내가 말한다.
그러니까, 내가 하고 싶은 말은…
너가 친구하자고 한 거 말야.
그거 생각을 좀 해봤는데, 그게 난 안 될 거 같더라고.
그러니까, 너랑 친구하기 싫다는 말이 아니라
나는… 나는 니가,

보고 싶었다. 국연수.

보고 싶었어. 항상.
…보고 싶었어.

니가 다시 돌아왔을 때도, 니가 앞에 있는데도,
이상하게 너한텐 화만 나고, 니가 너무 미웠는데.
이제 알 거 같아.

니가 날 사랑하는 걸 보고 싶었나 봐.

나만 사랑하는 니가,
너무 보고 싶었나 봐.

연수야.

나 좀 계속 사랑해.
놓지 말고. 계속. 계속 사랑해.
부탁이야.

너 이 빌딩 꼭대기 보려면 어떻게 해야 하는 줄 알아?

다른 건물 올라가서 보면 되지.

땡. 틀렸어.
이렇게 누워서 보는 거랬어.

어떤 일차원적인 사람이 그랬냐?

우리 아빠가.

잘 안 보이는데.

그치? 나도 그렇게 말했어.

아저씨가 너 놀린 거네.

지금 아빠 말고.
진짜 아빠.

놀린 거 맞지. 그 어린 애한테 여기 누워서
꼭대기 층까지 세어 보라고 했으니까.

숫자도 모르면서 하나 둘 하나 둘만 세다가…
더는 모르겠어서 일어났던 거 같아.
그러니까… 없었어. 아빠가.

웅아.

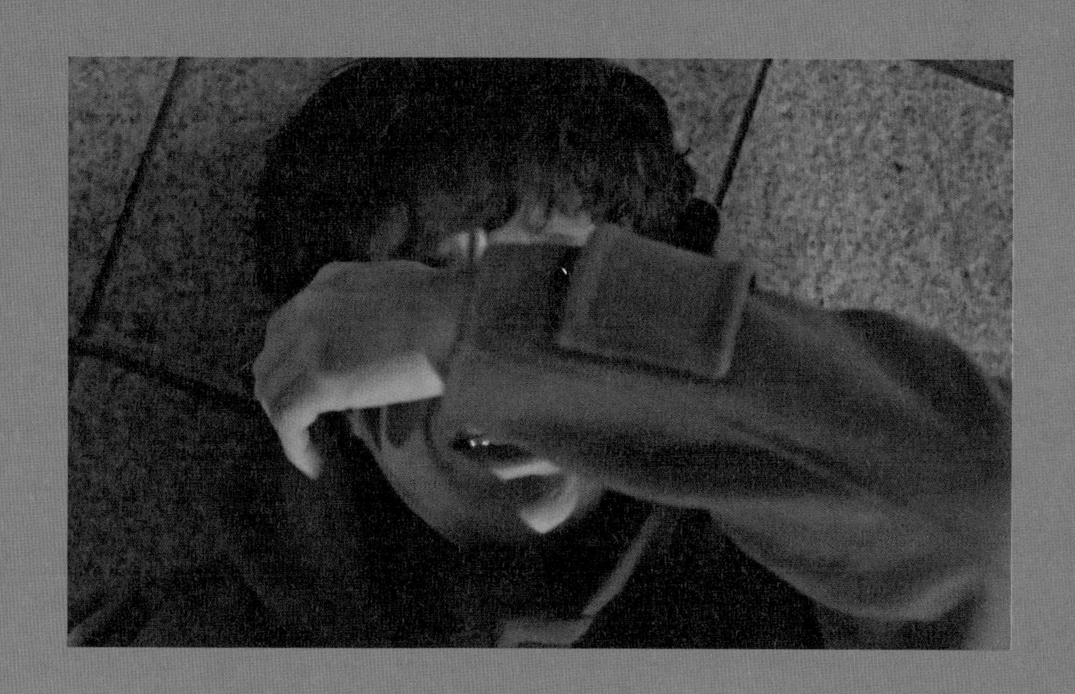

웃기지. 세상에…

그렇게 버리는 게 어디 있어.

3

야! 최웅!
궁금한 게 있는데! 우리 다시 만나는 거야?

아니 그럼 지금까지 아니라고 생각한 거야?

뭐. 확실하게 해두는 게 좋으니까.

이보다 더 확실할 수가 있어?

웅아!
앞으로 잘 부탁해!

국연수. 겁나 귀여워.

잊고 있었어요.
내가 사랑한 건,
변하든, 변하지 않든,
최웅. 그 유일함을 사랑했다는 걸.

지금 제일 맘에 안 드는 게 뭔지 알아?

뭔데?

우리가 지금 고등학생이야? 대학생이야?
귀가 시간이 너무 빠르잖아! 나와. 당장.
어딜. 이 시간에 집을 들어가?
안 돼. 못 들어가.

이것보다 완벽한 상상은 없었던 거 같아.

가늘게 긋는 선 하나에,
움직이는 초침 한 칸에,
그 모든 해에,
그 모든 순간에,
국연수가 없었던 적이 없는 것 같아요.

그리고 앞으로도,
내 모든 시간을,
국연수를 사랑하는 데에 쓸 거예요.

아니 대추차 그거 다 먹었는데 왜 또 생겨나!
집에 우물이 있어?

조용히 마시고 얼른 자야지?

요즘 초등학생도 이 시간엔 안 자.
말이 되는 소리를,

나도 같이 자고 갈까?

어두워지면 자야지.
이 시간엔 밤길도 어두워서 돌아다니면 안 돼.
자자 얼른.

예전에도, 지금도,

이 세상에서 계속 살고 싶은데.

끝이라는 건 없이 영원히.

니가 이유를 말 안 하면…
나는 내 모든 걸 싫어할 수밖에 없잖아.
버려지는 게 당연한 사람이 되어 버린다고 내가…

내 삶이 지금… 좀 팍팍해.
집이… 형편이 많이 안 좋아져서…
여유가 없어. 그렇다고…
니가 내 불행까지 사랑할 필요는 없으니까.
그래서… 그러니까…

…이유가 고작 그거야?
차라리 내가 싫어서 떠난 거라고 하는 게 더 낫겠다.
국연수.
그런 게… 버리는 이유가 된다는 게…
말이 안 되잖아.

그거. 아무나 다 찍힐 수 있는 거라며.
아무것도 없는 사람. 그냥 평범한 사람 아무나.

무슨 말을 하는 거예요?

나 죽는대.
나 죽는대 곧.
그러니까. 죽기 전에 나 좀 찍어줘 봐.
네가.

우리 오늘 나가지 말고 하루 종일 집에서 놀까?

응. 알잖아. 나 그거 되게 잘해.

여자친구가 너무하네~ 아직도 안 온 건…
그러니까 나 만났으면 이럴 일 없었을 텐데.
우리 이제 친구 해요. 진짜 친구.

나… 내가 또 다 망쳐버린 줄 알고…
미안해. 웅아. 미안해 내가… 내가…

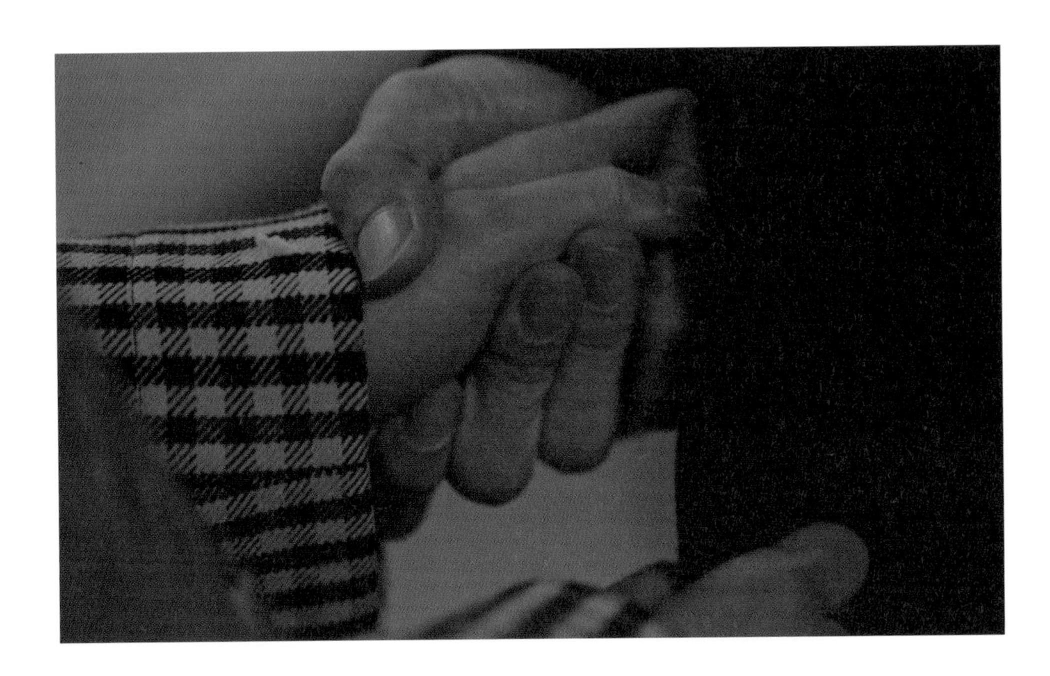

내가 말했지. 그럴 일 없다고.
너는 아무것도 망치지 않아. 연수야.

이제 와서 내 인생을 살라니. 그럼 내가 뭐 이때까지
내 인생을 안 살았다는 거야 뭐야? 내가 지 없으면 뭐
아무것도 못 하는 앤 줄 아나?

어디까지가 눈물이고 어디부터 콧물이야 이건.

퇴직금을… 퇴직금을…
퇴직금 왜? 퇴직금 안 준대?

너무 많이 줬잖아!

웅아.

응.

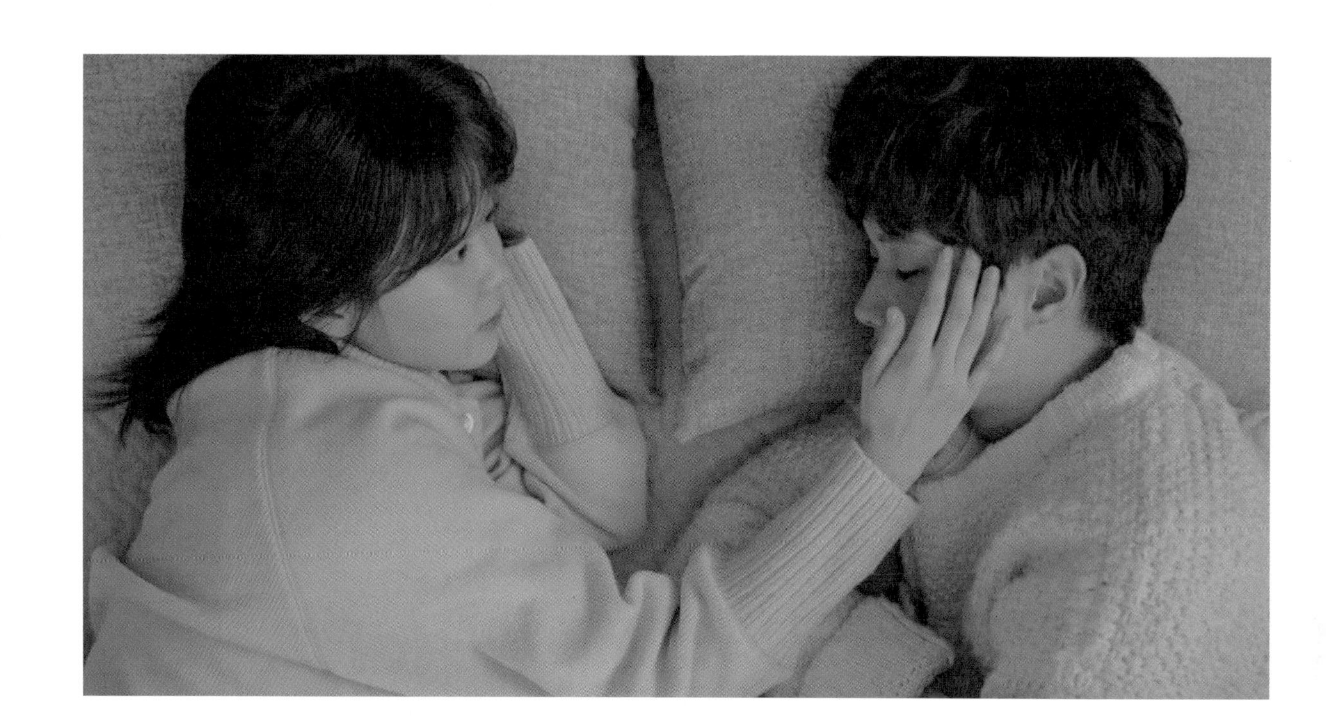

오늘 이따 저녁에 언니 가게에서 볼래?

그래.

결정했나 보네.

응.

괜찮아. 웅아.
다녀와. 그래도 우리 괜찮아.

그래도 엄만 엄마고, 나는… 나는 어린 애였잖아.
엄마가 어떻게 자식한테 그래.
나 용서 안 해. 절대 안 해.

그런데. 그런데 아주 만약에…
혹시 나중에 용서하고 싶어질지도 모르잖아.

그러니까 좀 더 살아봐요.
엄마도… 나도. 다시 살아봐도 되잖아.
우리 인생도 이제 남에 인생에 기대지 말고…
살아보자고.

그리고 연수와는,
최고의 시간들을 보냈어요.

하루도 빠짐없이.
완전하게.

웅이 보고 싶어. 웅이~

아… 보고 싶다. 최웅.
뭐야? 왜 말이 없어?

연수야.
생각해 보니까 내가 못 하고 온 말이 있더라구.

뭔데?

사랑해.

최웅. 이 멍청이가. 그런 말은 얼굴 보고 말해야지!
진짜 너는…!

알겠어. 그럼 뒤돌아봐.

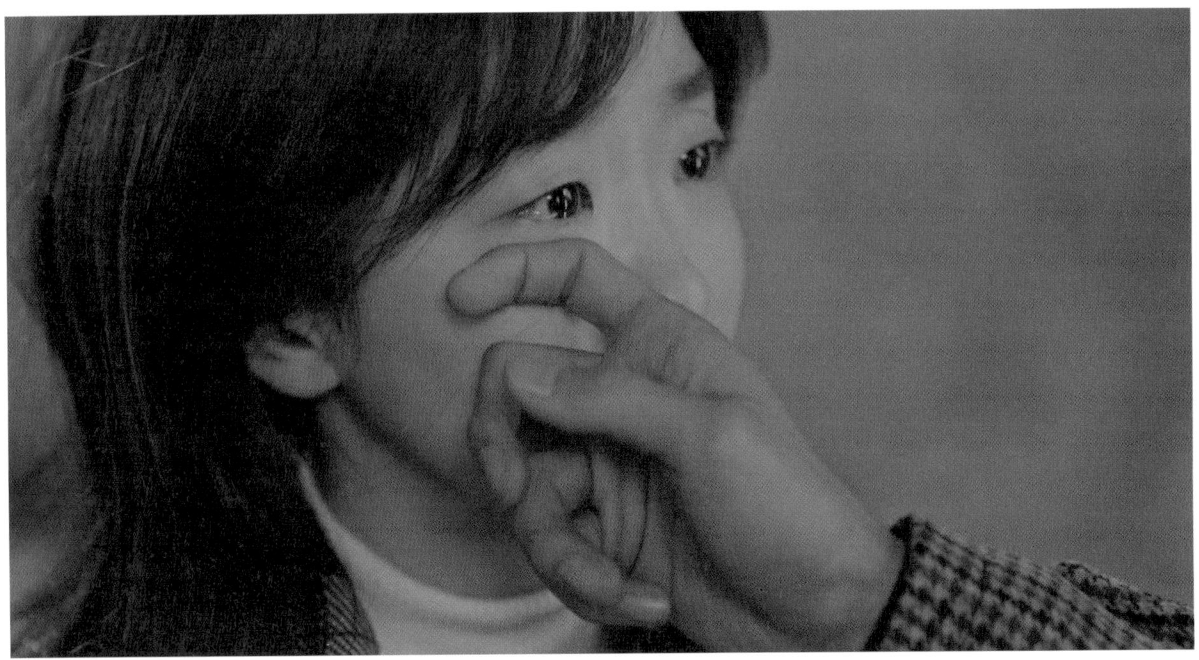

국연수.

사랑해.

연수야.
결혼하자. 우리.

아니. 무슨 우리는 사생활이 없어?
우리가 뭐 보여달라면 다 보여주는 노예냐!!!

안녕하세요.
저는 최웅,

국연수,
부부입니다.

사람들은 누구나 잊지 못하는 그 해가 있다고 해요.
그 기억으로 모든 해를 살아갈 만큼 오래도록 소중한.

그리고 우리에게 그 해는, 아직 끝나지 않았어요.

Part 4.

Behind

국연수

Schedule & Memo

I KNOW
WIN

MAGIC
CASTLE

MAGIC
CASTLE

슈퍼
슈퍼
담배
無

15

감독님

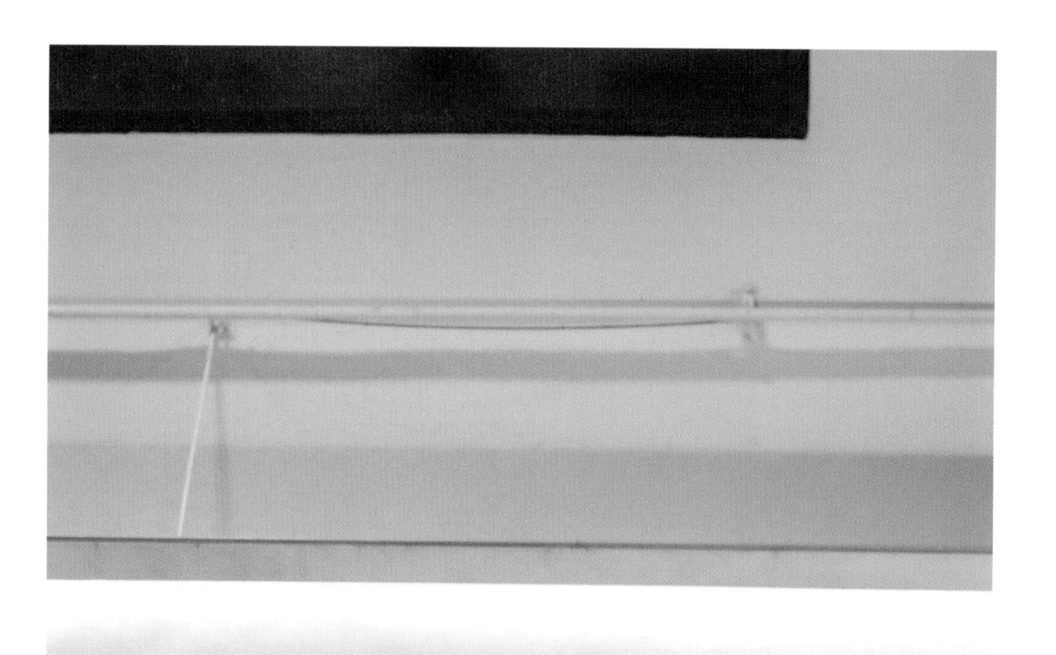

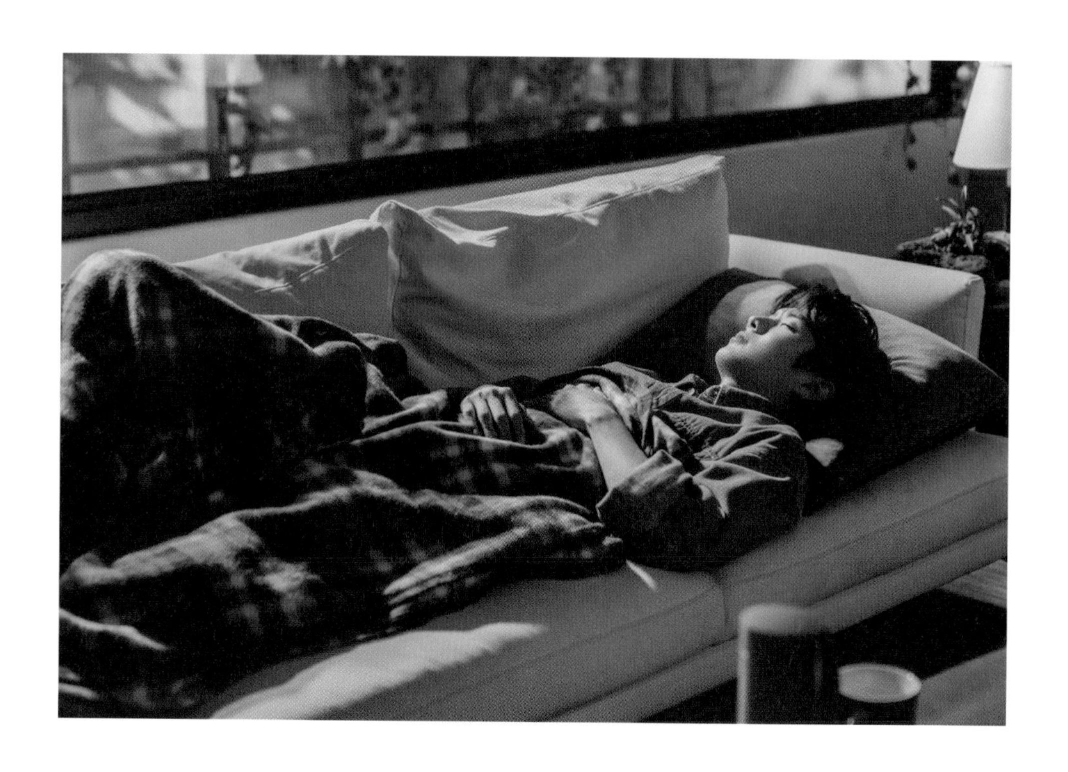

DICKIES

Just do it.

CLOS

할부서비스

SUPERB

이솔2

ARRI

견인지역

자하슈퍼

15

자하슈퍼

책 기부 행사

만든 사람들

기획 스튜디오S

제작 스튜디오N, 슈퍼문픽쳐스

연출 김윤진, 이 단

극본 이나은

출연 최우식, 김다미, 김성철, 노성의, 박진주, 조복래, 안동구, 전혜원, 박원상, 서정연, 차미경, 허준석, 이승우, 박연우, 박미현, 이선희, 윤상정, 박도욱, 정강희, 차승엽, 안수빈

아역 송하현, 김지훈

책임프로듀서 홍성창

제작 권미경, 신인수

프로듀서 이재우

기획프로듀서 한혜원

제작총괄 김 민, 장서우

제작PD 이희원, 김현지

라인PD 최슬기, 고은미, 박초아

마케팅프로듀서 차세리

제작관리 최재희

야외조연출 전영원, 이경구

내부조연출 정 훈

FD A 최재환, 솜야, 정연진, 김은주

조연출 B 박지영

FD B 한대건, 우지원, 정미러

스크립터 김채은, 팽보영

섭외 [다온로케이션]

촬영감독 A [2thumb boys] 앵 두, 염호왕

촬영감독 B [TEAMWORKS] 박기현, 정현우

포커스 A 구자훈, 이수광

포커스 B 이상정, 남재현

촬영팀 A A캠 김태웅, 최지민, 박민지 B캠 한용구, 신정수, 박명은

촬영팀 B A캠 김대희, 이영현, 김하은 B캠 염태석, 김규호, 정소영

조명감독 A [현실조명] 이상준

조명감독 B 김남원

조명팀 A 장수원, 신유승, 한동균, 장준태, 장서윤, 윤동건

조명팀 B 한성희, 정인조, 최준찬, 윤하은, 박경덕

발전차 A 김관혁

발전차 B [평택] 이시형

조명장비 [현실조명]

동시녹음 A [㈜사운드디자인] 강명구

동시녹음 B [사운드박스] 허준영

동시녹음팀 A 나겸재, 이정률

동시녹음팀 B 박경수, 김주현

KEY GRIP A [wave grip] 강석민

KEY GRIP B [로앵글] 이상석

그립팀 A 강민준, 김은호, 김건우, 유건이

그립팀 B 정현민, 남상우

캐스팅 [배우마당] 임나윤, 임륜미, 최지영

아역캐스팅 [배우마당] 엄이슬, 이나연

보조출연 [트리엔터테인먼트] 송현민, 윤우영, 나윤진, 최재성

무술감독 [Best stunt] 강 풍, 임승묵

무술대역 정경철

특수효과 [HM.crew] 구형만, 이재명, 구도형

미술총괄 [해와달미술촌]

미술감독 조원우

미술팀 김한결, 함지윤, 최혜진

세트총괄 [남아미술센터] 송석기

세트제작 김병열

세트제작지원 [공간을채우다] 이새롬

세트작화 [아트라미] 박희승

소품 [STUFF] 오진석

소품실장 김수미

소품팀장 박제희, 황혜준

소품팀원 최호근, 서지안

의상 [가온 미디어 패션]

의상디자이너 이수진, 박정진

의상팀장 김미란이

의상팀 김가인

의상지원 차량 정동권

분장 [레나타]

분장실장 장경은

분장팀 장은정, 신해진, 박지은

버스/봉고배차 [광휘]

스태프버스 박윤호, 김문재

연출봉고 임광영, 허운순

카메라봉고 A 임외빈

카메라봉고 B [한섬미디어] 강택균

카메라탑차 [한섬미디어] 천관욱, 이오진

방역/보양 [샛별에이전시]

WEB DESIGN 김해란

편집 김나영

서브편집 박은미, 김윤화

편집보조 장연주, 김수엽

DI/종합편집/DIT [DH Media Works Lab]

DI 이동환

종합편집 이동환, 이한슬

데이터 슈퍼바이저 김재겸, 박주현

데이터매니저 하란희, 조은성

SBS 종합편집 신준호

음악감독 남혜승

음악스태프 박상희, 이소영, 박진호, 김경희, 전정훈, 고은정, 조미라

음악효과 서성원

OST제작 [(주)모스트콘텐츠]

사운드믹싱 이동환

사운드디자인 유석원

VFX [디포커스스튜디오]

타이틀/예고/하이라이트 [PEAK] 박상권, 우정연, 이학진, 우선호

그림협조 [Jae Huh & Co.] Thibaud Hérem

그림대역 김승배

자막 김현민, 오유니

마케팅총괄 [제이와이미디어] 정승욱, 김동욱 [미디어그룹테이크투] 임정민

홍보 대행사 [피알제이] 박진희, 이미송

타이틀캘리그래피 전은선

포스터사진 이승희

포스터디자인 [프로파간다] 최지웅, 박동우, 이동형

스틸 [가라지랩] 고남희, 강수빈, 이유림

메이킹 [가라지랩] 신수혜, 이경원

특수소품차/렉카 [주식회사 인아트웍]

대본인쇄 [SH미디어]

Studio S

IP부가사업 김성준, 홍민희

메이킹/홍보영상총괄 유지영, 이정하

메이킹 제작 이혜린

홍보영상 제작 안정아

SBS

SBS홍보 손영균, 이두리, 정다솔

SBS홍보사진 김연식

SNS/홍보영상 박민경, 박조아, 권순민

SBS I&M

웹기획 강유진

웹운영 원희선

웹디자인 김비치

웹콘텐츠 권서영

그해 우리는